# الْجِسْمُ الْبَشَرِيُّ

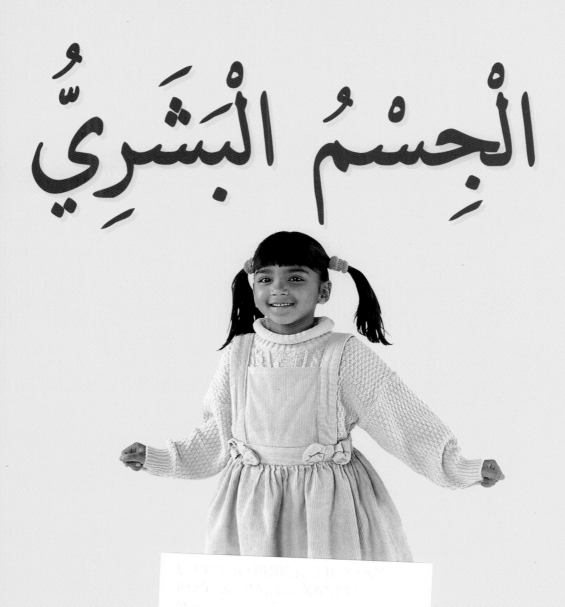

تَأْليفُ : كاثْلين وايدنِر زو

PHOTO CREDITS: Cover: Elie Bernager/Tony Stone Images. Page 1: Nancy Sheehan/PhotoEdit; 3: Richard Hutching/PhotoEdit; 4: Richard Hutching/PhotoEdit; 5:Seth Resnick/Workbook-Stock/ Getty Images; 6: Myrleen Ferguson Cate/PhotoEdit; 7: David Young Wolff/PhotoEdit; 9: Myrleen Ferguson Cate/PhotoEdit; 10, top: Tony Freeman/PhotoEdit; 10, bottom: David Young-Wolff/ PhotoEdit; 11: Richard Hutching/PhotoEdit; 12: Tom McCarthy/PhotoEdit; 13:Michael Newman/ PhotoEdit; 14: Barbara Stizer/PhotoEdit; 15: Myrleen Ferguson Cate/PhotoEdit; 21: David Young- Wolff/PhotoEdit; 22-23: Myrleen Ferguson Cate/PhotoEdit; 24: Richard Hutching/PhotoEdit; 26: Tony Freeman/PhotoEdit; 27: Royalty Free/Corbis; 28: A Hubrich/Zefa/Corbis; 29: Kathy Ferguson/ PhotoEdit; 30: Tony Freeman/PhotoEdit.

Library of Congress Cataloging-in-Publication Data available.

ISBN  978-0-439-86443-5

Book design by Barbara Balch and Kay Petronio
Photo research by Sarah Longacre

First Arabic Edition, 2006. Printed in China.

1  2  3  4  5  6  7  8  9  10  62  11  10  09  08  07

يَدٌ

عَيْنٌ أُذُنٌ

ذِراعٌ

صَدْرٌ

ساقٌ

لِجِسْمِكَ عَدَدٌ مِنَ الأَجْزاءِ. لَهُ أَجْزاءٌ خارِجِيَّةٌ.

قَدَمٌ

دِماغٌ

عِظامٌ

قَلْبٌ

مَعِدَةٌ

عَضَلاتٌ

وَلَهُ أَجْزاءٌ داخِلِيَّةٌ.

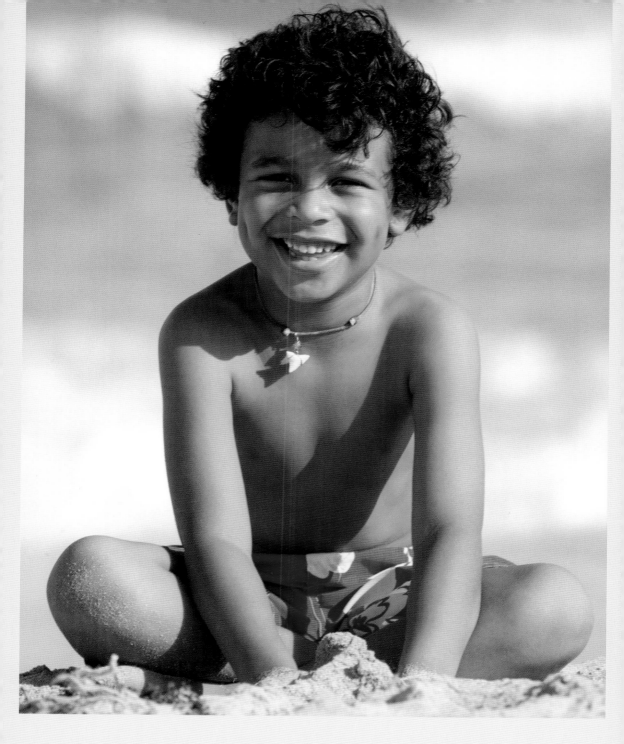

يُغَطّي الْجِلْدُ مُعْظَمَ جِسْمِكَ.

يُساعِدُكَ جِلْدُكَ في الإِحْساسِ
بِالأَشْياءِ، إِنْ كانَتْ بارِدَةً أَوْ حارَّةً،
لَيِّنَةً أَوْ صُلْبَةً، ناعِمَةً أَوْ خَشِنَةً.

حينَ تَلْمُسُ قِطَّةً، تَنْتَقِلُ رِسالَةٌ مِنْ جِلْدِكَ إِلى دِماغِكَ.

يَفْهَمُ عَقْلُكَ الرِّسالَةَ. يُخْبِرُكَ
عَقْلُكَ أَنَّ الْقِطَّةَ ناعِمَةٌ.

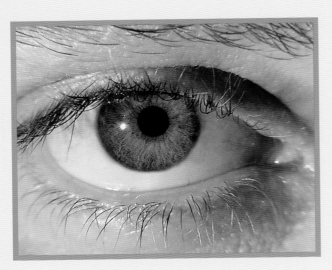

عَيْنٌ

أَجْزاءٌ مُخْتَلِفَةٌ مِنْ جِسْمِكَ
تُرْسِلُ رَسائِلَ إِلى دِماغِكَ.

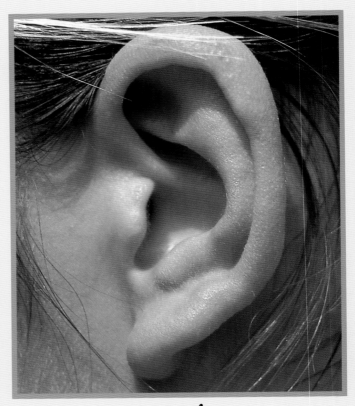

أُذُنٌ

يُساعِدُكَ عَقْلُكَ عَلى فَهْمِ الرَّسائِلِ كُلِّها.

يَدٌ

عَيْناكَ تُرْسِلانِ الرَّسائِلَ إِلى دِمـاغِكَ. وَدِماغُكَ يُخبِرُكَ عَنْ أَشْكالِ الأَشْياءِ الَّتي تَراها وَأَلْوانِها.

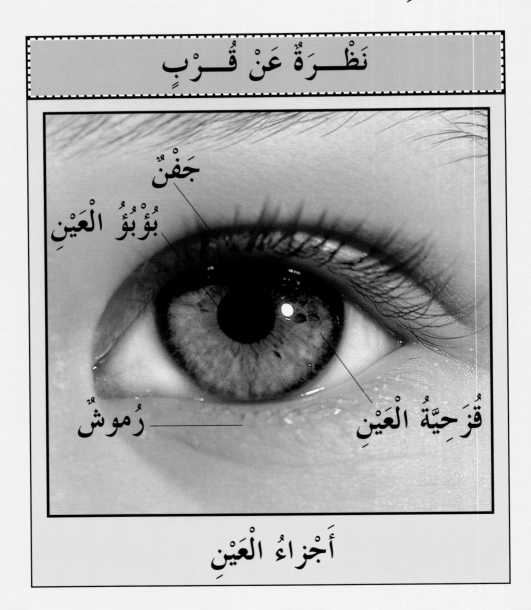

نَظْـرَةٌ عَنْ قُـرْبٍ

جَفْنٌ
بُؤْبُؤُ الْعَيْنِ
قُزَحِيَّةُ الْعَيْنِ
رُموشٌ

أَجْزاءُ الْعَيْنِ

أُذُناكَ تُرْسِلانِ الرَّسائِلَ. عَقْلُكَ يُساعِدُكَ على فَهْمِ كُلِّ الأَصْواتِ الَّتي تَسْمَعُها.

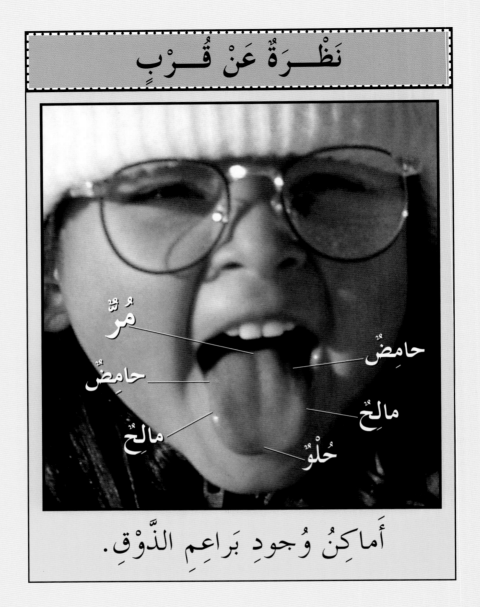

مُرٌّ
حامِضٌ
حامِضٌ
مالِحٌ
مالِحٌ
حُلْوٌ

أَماكِنُ وُجودِ بَراعِمِ الذَّوْقِ.

بَراعِمُ **الذَّوْقِ** عَلى لِسانِكَ تُرْسِلُ الرَّسائِلَ عَنِ الطَّعامِ الَّذي تَأْكُلُهُ.

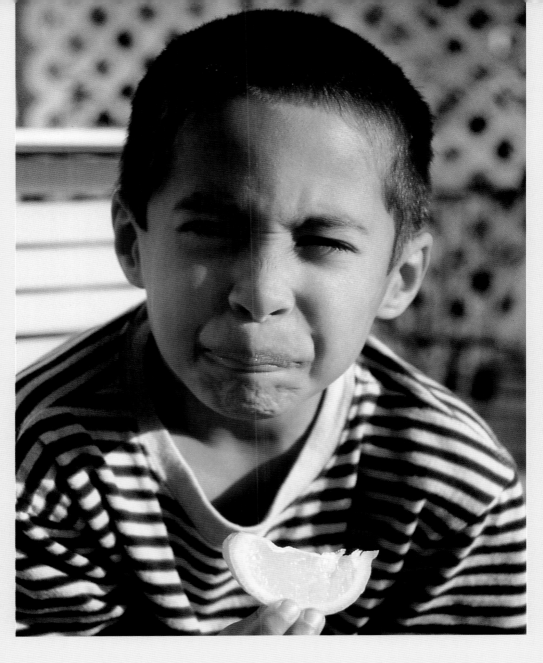

عَقْلُكَ يُخْبِرُكَ إِذا كانَ طَعامُكَ
مالِحًا، أَوْ حامِضًا، أَوْ مُرًّا، أَوْ حُلْوًا.

أَنْفُكَ يُرْسِلُ الرَّسائِلَ إِلى دِماغِكَ.
وَدِماغُكَ يَسْتَطيعُ أَنْ يُخْبِرَكَ ما إِذا كانَتِ الأَشْياءُ الَّتي تَشُمُّها ذاتَ رائِحَةٍ طَيِّبَةٍ أَمْ كَريهَةٍ.

حينَ يَتَلَقّى دِماغُكَ الرَّسائِلَ مِنْ **حَواسِّكَ** الْخَمْسِ، يُخْبِرُ جِسْمَكَ ما عَلَيْهِ أَنْ يَفْعَلَهُ.

الدِّماغُ يُرْسِلُ الرَّسائِلَ إِلى عَضَلاتِكَ.
وَهذِهِ الرَّسائِلُ تُخْبِرُ عَضَلاتِكَ كَيْفَ تَتَحَرَّكُ.
الْعَضَلاتُ وَالْعِظامُ تُساعِدُكَ عَلى الرَّكْضِ،
وَالْمَشْيِ، وَالْقَفْزِ، وَالانْحِناءِ.

الْعَضَلاتُ تُحَرِّكُ
عِظامَ ساقَيْكَ وَذِراعَيْكَ،
وَعِظامَ أَجْزاءٍ أُخْرى مِنْ
جِسْمِكَ.

## نَظْـرَةٌ عَنْ قُـرْبٍ

إِحْدى الْعَضَلاتِ في ذِراعِكَ تُدْعى
العَضَلَةَ ذاتَ الرَّأْسَيْنِ.

مِنْ أَجْلِ تَوْفيرِ الْقُوَّةِ
لِلْعَضَلاتِ، تَحْتاجُ إِلى
الْكَثيرِ مِنَ **الطّاقَةِ**.
وَالأَكْلُ أَفْضَلُ طَريقَةٍ
لِلْحُصــولِ عَلى الطّاقَةِ.

عِنْدَما تَبْتَلِعُ مُضْغَةً مِنَ الطَّعامِ، فَإِنَّها
تَنْزِلُ مِنْ خِلالِ أُنْبوبِ الْغِذاءِ إِلى الْمَعِدَةِ.
هُناكَ عُصاراتٌ خاصَّةٌ في الْمَعِدَةِ
لِهَضْمِ الطَّعامِ.

عِنْدَها، يَسْتَطيعُ جِسْمُكَ أَنْ يَأْخُذَ أَشْياءَ بَسيطَةً، **كَالسُّكَّرِيّاتِ** مِنَ الطَّعامِ. السُّكَّرِيّاتُ تَمْنَحُكَ الطّاقَةَ.

مِنْ أَجْلِ اِسْتِخْدامِ الطَّاقَةِ
الَّتي تَمُدُّكَ السُّكَّرِيّاتِ بِها،
يَحْتاجُ جِسْمُكَ أَيْضًا إِلى
**الأُكْسيجِنِ.**

عِنْدَما تَتَنَفَّسُ، تَأْخُذُ
رِئَتَيْكَ الأُكْسيجِنَ مِنَ الْهَواءِ.

يَسْري الأُكْسيجِنُ في دَمِكَ.
السُّكَّرِيّاتُ الَّتي تَكْتَسِبُها مِنْ
طَعامِكَ تَسْري في دَمِكَ أَيْضًا.

## نَظْـرَةٌ عَنْ قُـرْبٍ

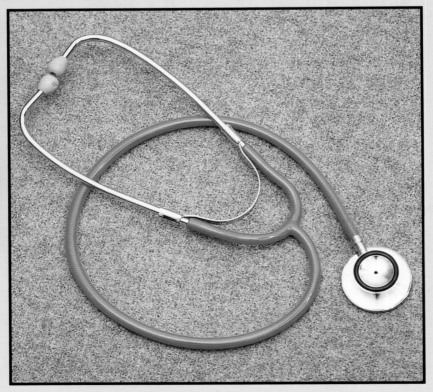

يَتَسَمَّعُ الطَّبيبُ نَبَضاتِ قَلْبِكَ مِنْ خِلالِ سَمّاعَةِ الطَّبيبِ (الْمِسْماعِ).

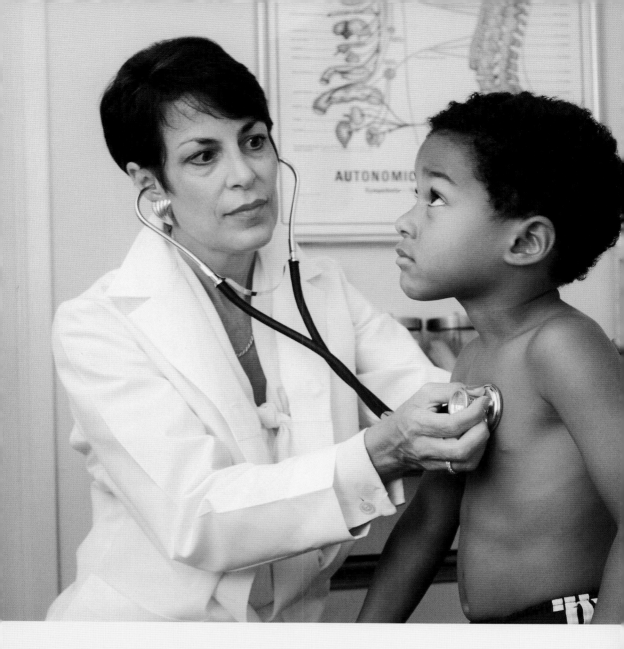

يَضُخُّ قَلْبُكَ الدَّمَ إِلى كُلِّ أَجْزاءِ جِسْمِكَ.

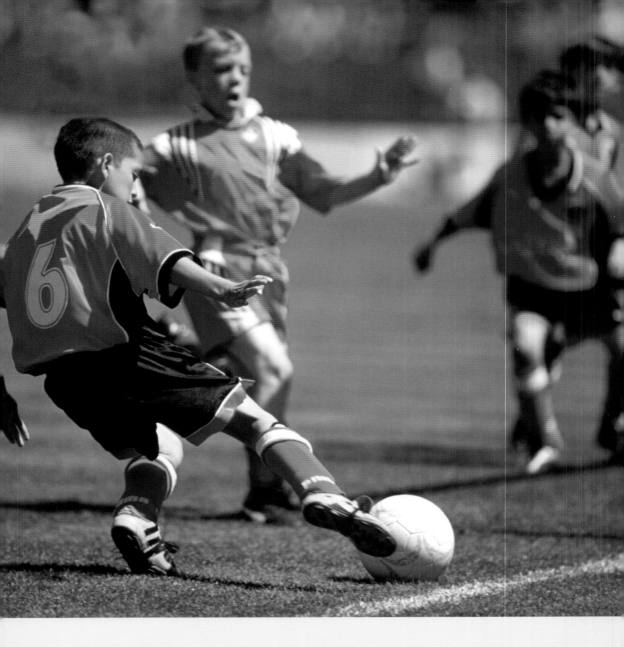

وَهذا يُعْطيكَ الْقُوَّةَ لِتَرْكُضَ،
وَتَتَكَلَّمَ، وَتَضْحَكَ، وَتَنْمُوَ.

يَظَلُّ قَلْبُكَ يَنْبُضُ، وَتَظَلُّ تَتَنَفَّسُ،

حَتّى وَأَنْتَ نائِمٌ.

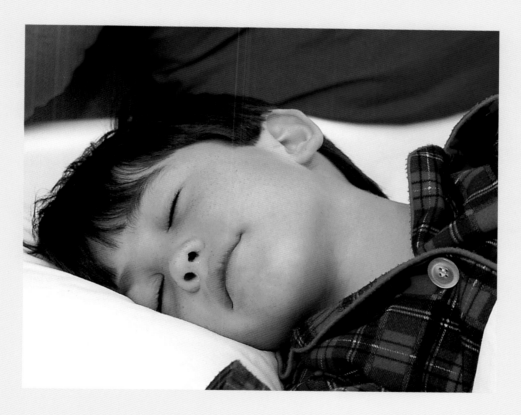

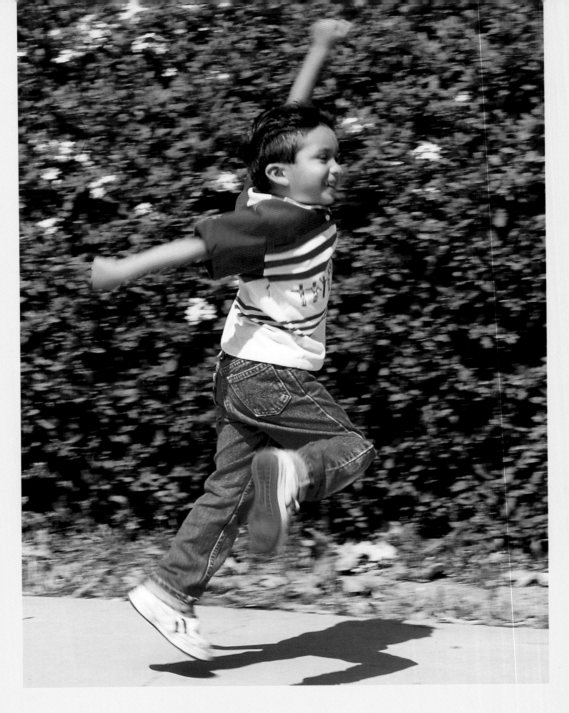

وَيَحْرِصُ عَقْلُكَ على أَنْ تَعْمَلَ
أَجْزاءُ جِسْمِكَ كُلُّها بِشَكْلٍ سَليمٍ.

# قائِمَةُ الْمُفْرَداتِ

**الأُكْسيجِنَ:** أَحَدُ الْغازاتِ الرَّئيسَةِ الْمَوْجودَةِ في الْهَواءِ.

**بَراعِمُ الذَّوْقِ:** مَجْموعَةُ خَلايا صَغيرَةٌ جِدًّا، مُدَوَّرَةٌ، ناتِئَةٌ تَبْرُزُ عَلى سَطْحِ اللِّسانِ، وَتُساعِدُنا في تَذَوُّقِ طَعامِنا.

**الْحَواسُّ:** هِيَ الْوَسائِلُ الَّتي تَجْعَلُنا نُدْرِكُ الأَشْياءَ الَّتي حَوْلَنا.

**السُّكَّرِيّاتُ:** مَوادُّ بَسيطَةُ التَّرْكيبِ، حُلْوَةُ الطَّعْمِ، نَجِدُها في مُعْظَمِ أَنْواعِ الْغِذاءِ. السُّكَّرِيّاتُ تُزَوِّدُ الْجِسْمَ بِالطّاقَةِ.

**الطّاقَةُ:** الْقُدْرَةُ وَالْقُوَّةُ عَلى الْقِيامِ بِعَمَلٍ ما.

**الْهَضْمُ:** عَمَلِيَّةُ تَحْويلِ الطَّعامِ إِلى أَجْزاءٍ بَسيطَةٍ، يَمْتَصُّها الْجِسْمُ، وَيَسْتَخْدِمُها مِنْ أَجْلِ الطّاقَةِ وَالنُّمُوِّ.